101 DALMATIANS

La Carica dei 101

The Walt Disney Company Italia s.r.l.
• L I B R I •

Basato sul libro *The Hundred and One Dalmatians* di Dodie Smith.
Pubblicato negli Stati Uniti da Viking Press e in Gran Bretagna da William Heinemann Limited.

Pubblicato da The Walt Disney Company Italia s.r.l.
Via Ferrante Aporti 6/8, Milano
Consulenza editoriale e didattica e traduzione testi: Jessica Jacobs, Donata Miniati
Editing: www.j-think.com
Stampato da Rotolito Lombarda - Seggiano di Pioltello (MI)

Cari genitori,

l'infanzia, come sappiamo, è il tempo ideale per scoprire e imparare: i più piccoli sono flessibili, motivati e rapidi nell'apprendere. È questo quindi il momento più favorevole per introdurre una lingua straniera, offrendo ai bambini una straordinaria opportunità, in grado di aprire loro le porte del mondo.

Per iniziare questa avventura bilingue è molto importante scegliere i materiali educativi più adatti, capaci di catturare l'interesse dei bambini e di motivarli a proseguire nel percorso.

La serie **Disney English First Readers** si propone di avviare i bambini alla lettura di storie ricche di fantasia e creatività, con testi in Inglese, capaci di sviluppare le loro competenze linguistiche e stimolare la loro immaginazione. La traduzione in lingua italiana dei testi consente comunque la piena comprensione di ogni termine inglese.

Il programma **Disney English First Readers** è strutturato su due livelli, permettendo ai bambini di progredire in modo consapevole e anche di scegliere, insieme ai genitori, le storie più adatte alle loro effettive capacità e conoscenze. Ciascuna storia include set lessicali di base, che sono proposti anche nei giochi e nelle attività finali, consentendo così ai piccoli lettori di consolidare quanto appreso durante la lettura.

In questo volumetto, rileggendo in Inglese un grande classico Disney i bambini impareranno diverse parole chiave come i verbi di movimento, i nomi dei componenti della famiglia e gli aggettivi che descrivono il carattere. Attraverso la magia dei personaggi e delle storie Disney i bambini parteciperanno con entusiasmo e spontaneità all'avventura del leggere in Inglese!

Pongo è un **cane** dalmata. **Vive** con il suo **padrone**,
Rudy. A Pongo piace una graziosa cagnolina.
Il suo **nome** è Peggy. Pongo vuole **incontrarla**.

Pongo is a Dalmatian **dog**. He **lives** with his **owner**, Roger. Pongo likes a pretty dog. Her **name** is Perdita. Pongo wants to **meet** her.

DOG	cane
LIVE	vivere
OWNER	padrone
NAME	nome
MEET	incontrare

Pongo e Rudy vanno al **parco**. **Vedono** Peggy e la sua padrona, Anita.
Pongo fa uno **scherzo** a Rudy e Anita. Essi cadono nell'**acqua**. Le loro **scarpe** e **cappelli** sono bagnati. Ma loro si mettono a ridere.

Pongo and Roger go to the **park**. They **see** Perdita and her owner, Anita.
Pongo plays a **trick** on Roger and Anita. They fall in the **water**. Their **shoes** and **hats** are wet. But they just laugh.

PARK	parco
SEE	vedere
TRICK	scherzo
WATER	acqua
SHOE	scarpa
HAT	cappello

Rudy e Anita **diventano marito** e **moglie**.
Così fanno anche i **due** cani!

Roger and Anita **become husband** and **wife**.
So do the **two** dogs!

BECOME	diventare
HUSBAND	marito
WIFE	moglie
TWO	due

Vivono tutti in una casa con la loro **governante**, Nilla. Un **giorno** Peggy dice a Pongo che sta per avere dei **cuccioli**. **Tutti** sono **emozionati**.

They all live in a house with their **helper**, Nanny. One **day**, Perdita tells Pongo she's going to have **puppies**. **Everybody** is **excited**.

HELPER	governante
DAY	giorno
PUPPY	cucciolo
EVERYBODY	tutti
EXCITED	emozionato

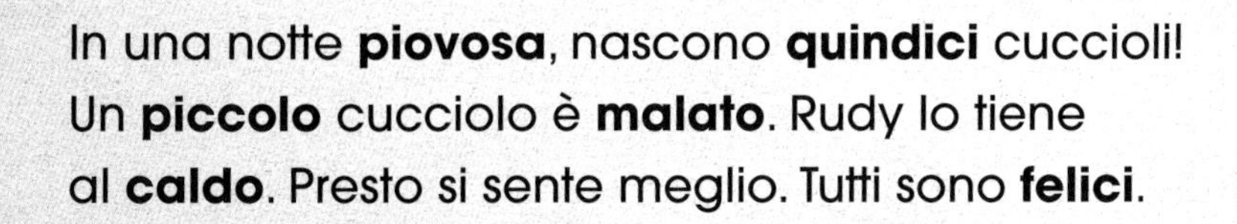

In una notte **piovosa**, nascono **quindici** cuccioli!
Un **piccolo** cucciolo è **malato**. Rudy lo tiene
al **caldo**. Presto si sente meglio. Tutti sono **felici**.

On a **rainy** night, **fifteen** puppies are born!
One **little** puppy is **sick**. Roger makes the puppy
warm. Soon it is well. Everyone is **happy**.

RAINY	piovoso
FIFTEEN	quindici
LITTLE	piccolo
SICK	malato
WARM	caldo
HAPPY	felice

Poi Crudelia De Mon arriva in visita. Lei è molto **cattiva**.
Vuole **comperare** i cuccioli. Rudy non li **venderà**.
A lui non piace Crudelia.
Crudelia è **arrabbiata**. Fa una **brutta faccia** e grida.
Schizza persino **inchiostro** nero su Rudy.

Then Cruella De Vil comes to visit. She is very **mean**.
She wants to **buy** the puppies. Roger will not **sell** them.
He does not like Cruella.
Cruella is **mad**. She makes an **ugly face** and **yells**.
She even splashes black **ink** on Roger.

MEAN	cattivo
BUY	comperare
SELL	vendere
MAD	arrabbiato
UGLY	brutto
FACE	faccia
YELL	gridare
INK	inchiostro

GROW	crescere
EAT	mangiare
PLAY	giocare
WATCH	guardare
SIT	sedere
NEXT TO	accanto
MOTHER	madre
FATHER	padre
SAFE	al sicuro

I cuccioli **crescono** e crescono. A loro piace **mangiare**, **giocare** e **guardare** la TV. A loro piace **sedere accanto** a **mamma** e **papà**. Si sentono felici e al **sicuro**.
Non sanno che Crudelia De Mon sta architettando piani malvagi.

The puppies **grow** and grow. They like to **eat**, **play**, and **watch** TV. They like to **sit next to** their **mother** and **father**. They feel happy and **safe**. They do not know that Cruella is making evil plans.

STEAL	rubare
BAD MEN	furfanti
EVENING	sera
WALK	passeggiata
HOME	casa
TAKE	prendere

Crudelia vuole **rubare** i cuccioli. Dice a due **furfanti** di aiutarla.
Una **sera**, Peggy e Pongo vanno a fare una **passeggiata**.
I cuccioli restano a **casa** con Nilla. Allora i furfanti lottano con Nilla e **prendono** i cuccioli.

Cruella wants to **steal** the puppies. She tells two **bad men** to help her.
One **evening**, Perdita and Pongo go for a **walk**.
The puppies stay at **home** with Nanny. Then the bad men fight Nanny and **take** the puppies!

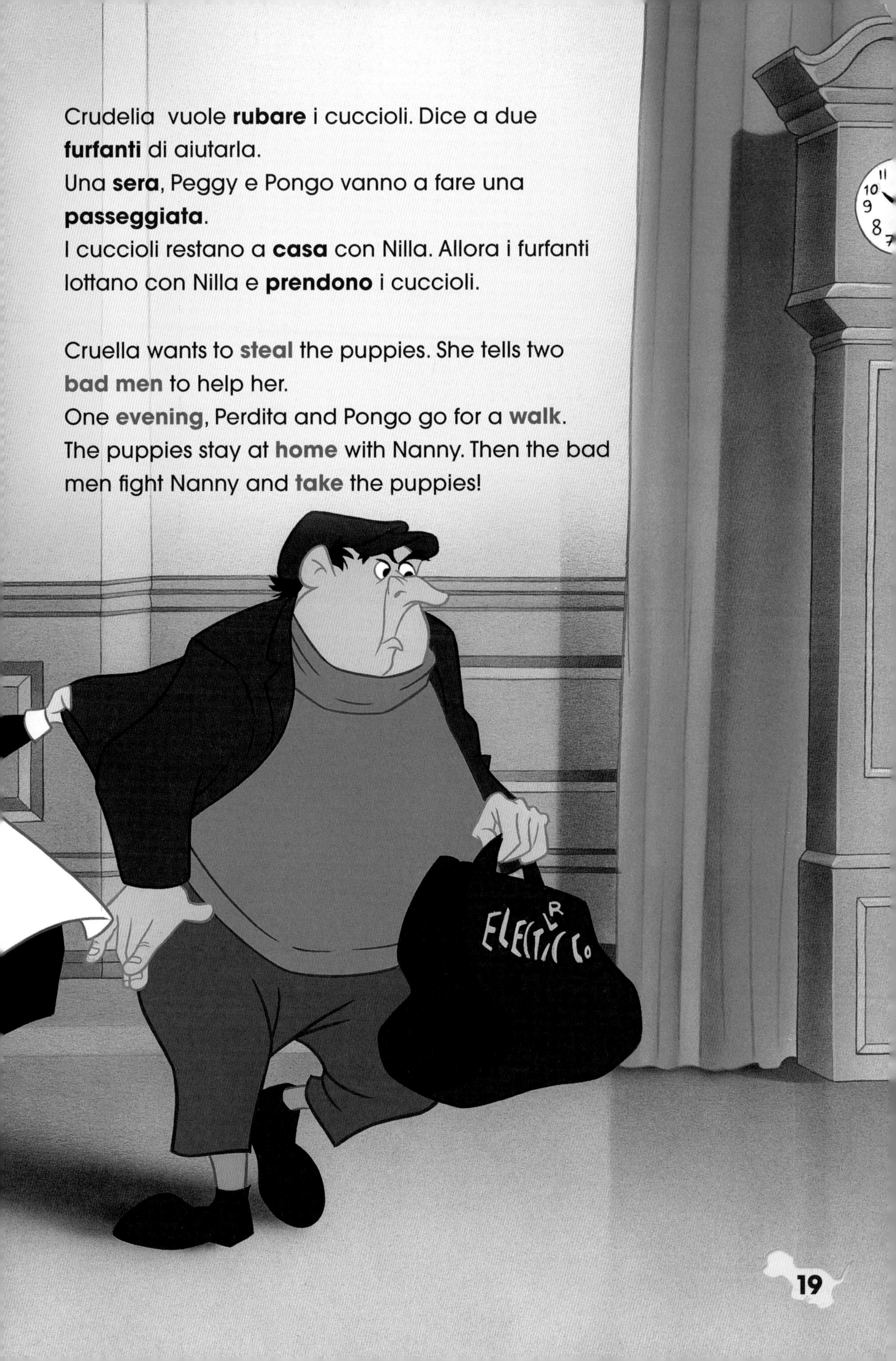

Pongo e Peggy hanno bisogno di aiuto! **Abbaiano forte** per dire agli altri cani che cosa è accaduto ai cuccioli. Molti cani **rispondono**. Vogliono aiutare a **trovare** i cuccioli.

Pongo and Perdita need help! They **bark loudly** to tell other dogs about the puppies. Many dogs **answer**. They want to help **find** the puppies.

BARK	abbaiare
LOUDLY	forte (di volume)
ANSWER	rispondere
FIND	trovare

HOUSE	casa
COUNTRYSIDE	campagna
CAT	gatto
LEARN	apprendere
HIDDEN	nascosto
HURRY	precipitarsi

I furfanti nascondono i cuccioli. Sono nella grande **casa** di **campagna** di Crudelia.
Un cane e un **gatto** li trovano. Presto Pongo e Peggy **apprendono** dove i cuccioli sono **nascosti**. Si **precipitano** a salvarli!

The bad men hide the puppies. They are in Cruella's big **house** in the **countryside**.
A dog and **cat** find them. Soon, Pongo and Perdita **learn** where the puppies are **hidden**. They **hurry** to save them!

Pongo e Peggy **corrono** nella **neve**. Attraversano a **nuoto** un **freddo fiume**. Infine raggiungono la casa. Pongo e Peggy **saltano** attraverso la **finestra**. Trovano **dentro novantanove** cuccioli! Pongo e Peggy lottano con i furfanti. I cuccioli scappano fuori.

Pongo and Perdita **run** through the **snow**. They **swim** across a **cold river**. At last, they reach the house. Pongo and Perdita **jump** through a **window**. They find **ninety-nine** puppies **inside**! Pongo and Perdita fight the bad men. The puppies run out.

RUN correre
SNOW neve
SWIM nuotare
COLD freddo
RIVER fiume
JUMP saltare
WINDOW finestra
NINETY-NINE novantanove
INSIDE dentro

Pongo, Peggy e tutti i cuccioli camminano e **camminano**. Il tempo è **nevoso** e **ventoso**. I cuccioli hanno i **piedi** freddi. I loro nasi e le **code** sono fredde. Sono **affamati**. Ma non devono fermarsi. Devono arrivare a casa prima che Crudelia De Mon li trovi.

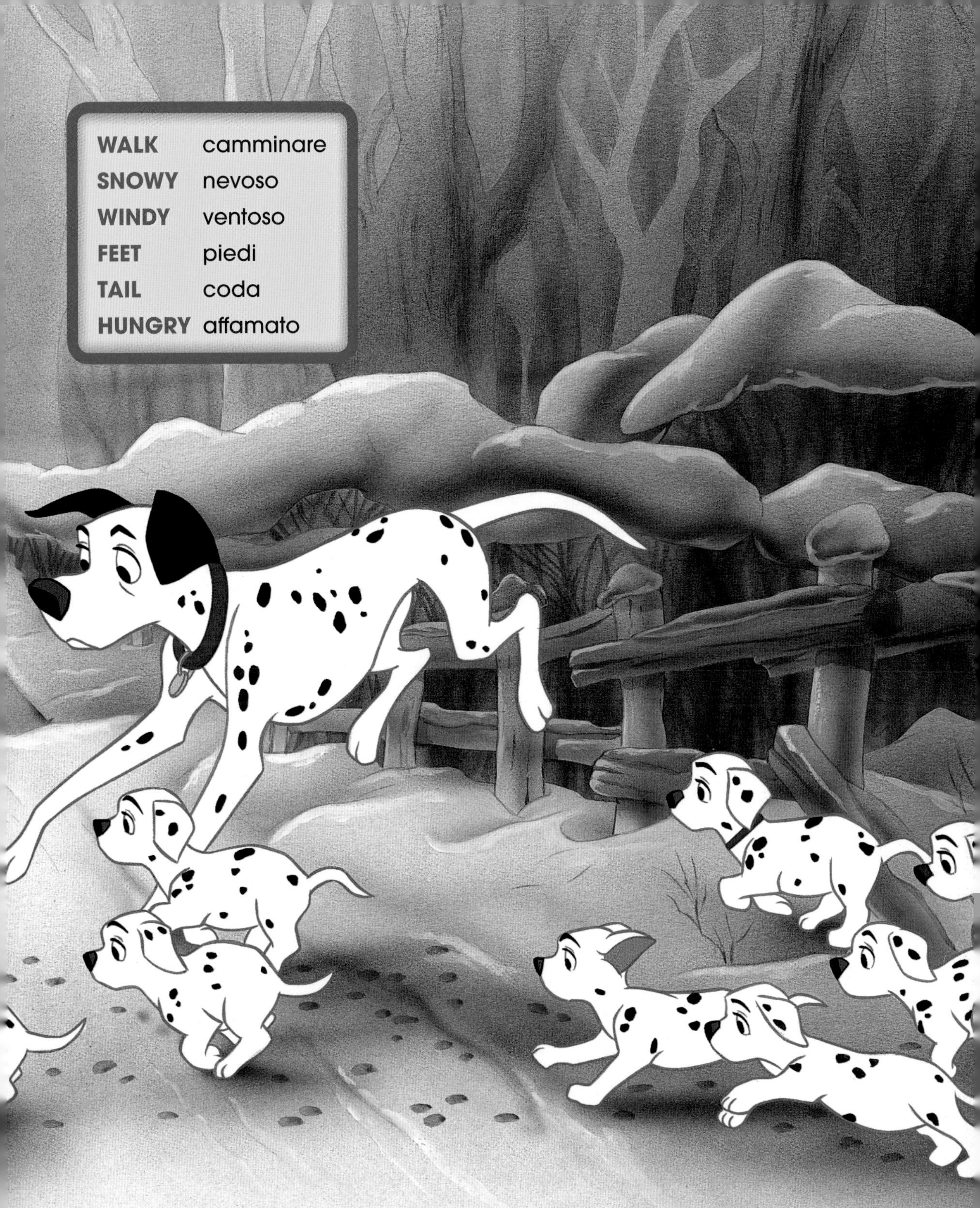

WALK	camminare
SNOWY	nevoso
WINDY	ventoso
FEET	piedi
TAIL	coda
HUNGRY	affamato

Pongo, Perdita, and all the puppies walk and **walk**. It is **snowy** and **windy**. The puppies have cold **feet**. Their noses and **tails** are cold. They are **hungry**. But they must not stop. They must get home before Cruella finds them.

Peggy **ha paura** che Crudelia De Mon li veda. Pongo dice ai cuccioli di **rotolarsi** nella fuliggine. Nasconde il loro pelo bianco. I cuccioli **si divertono** a **sporcarsi**.

Perdita **is scared** Cruella will see them. Pongo tells the puppies to **roll** in black dirt. It hides their white fur. The puppies **have fun getting dirty**.

BE SCARED	aver paura
ROLL	rotolarsi
HAVE FUN	divertirsi
GET DIRTY	sporcarsi

VAN	furgone
SPLASH	schizzare
CLEAN	pulire

Pongo e Peggy mettono i cuccioli in un **furgone**. Ma l'acqua **schizza** un cucciolo e lo **pulisce**. È di nuovo bianco e nero! Oh, no! Crudelia De Mon lo vede.

Pongo and Perdita put the puppies in a **van**. But water **splashes** a puppy. It **cleans** him. He's white and black again! Oh, no! Cruella sees him.

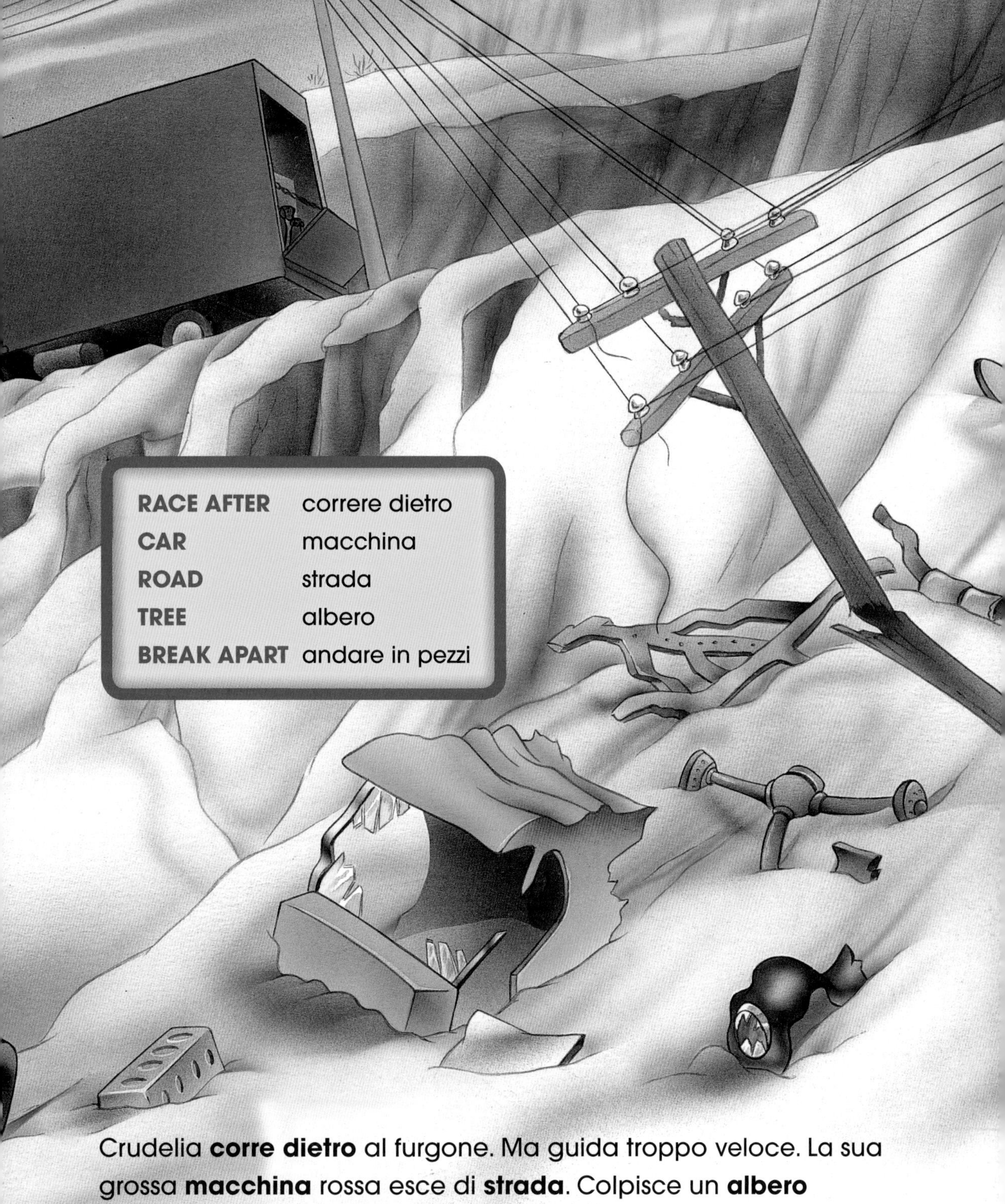

RACE AFTER	correre dietro
CAR	macchina
ROAD	strada
TREE	albero
BREAK APART	andare in pezzi

Crudelia **corre dietro** al furgone. Ma guida troppo veloce. La sua grossa **macchina** rossa esce di **strada**. Colpisce un **albero** e **va in pezzi**. Crudelia è arrabbiata. Non può prendere i cuccioli. Hurrà!

Cruella **races after** the van. But she drives too fast. Her big red **car** slides off the **road**. It hits a **tree** and **breaks apart**.
Cruella is mad. She can't get the puppies.
Hurray!

Alla fine, Pongo, Peggy e i cuccioli tornano a casa. Rudy, Anita e Nilla li **abbracciano**. Li **lavano**. Contano **centouno** dalmata.
Tutti sono salvi e felici **insieme**.

At last, Pongo, Perdita, and the puppies come home. Roger, Anita, and Nanny **hug** them. They **wash** them. They count **one hundred and one** Dalmatians.
Everybody is safe and happy **together**.

HUG	abbracciare
WASH	lavare
ONE HUNDRED AND ONE	centouno
TOGETHER	insieme

Glossary/Glossario

A

ANSWER rispondere

B

BAD MEN furfanti
BARK abbaiare
BECOME diventare
BE SCARED aver paura
BREAK APART andare in pezzi
BUY comperare

C

CAR macchina
CAT gatto
COLD freddo
COUNTRYSIDE campagna
CLEAN pulire

D

DAY giorno
DOG cane

E

EAT mangiare
EVENING sera
EVERYBODY tutti
EXCITED emozionato

F

FACE faccia
FATHER padre
FEET piedi
FIFTEEN quindici
FIND trovare

G

GET DIRTY sporcarsi
GROW crescere

H

HAPPY felice
HAT cappello
HAVE FUN divertirsi
HELPER governante
HIDDEN nascosto
HOME casa
HOUSE casa
HUG abbracciare
HUNGRY affamato
HURRY precipitarsi
HUSBAND marito

I

INK inchiostro
INSIDE dentro

J

JUMP saltare

L

LEARN apprendere
LITTLE piccolo
LIVE vivere
LOUDLY forte (di volume)

M

MAD arrabbiato
MEAN cattivo

MEET incontrare
MOTHER madre

N
NAME nome
NEXT TO accanto
NINETY-NINE novantanove

O
ONE HUNDRED AND ONE centouno
OWNER padrone

P
PARK parco
PLAY giocare
PUPPY cucciolo

R
RACE AFTER correre dietro
RAINY piovoso
RIVER fiume
ROAD strada
ROLL rotolarsi
RUN correre

S
SAFE al sicuro
SEE vedere
SELL vendere
SHOE scarpa
SICK malato
SIT sedere
SNOW neve
SNOWY nevoso
SPLASH schizzare
STEAL rubare
SWIM nuotare

T
TAKE prendere
TAIL coda
TOGETHER insieme
TREE albero
TRICK scherzo
TWO due

U
UGLY brutto

V
VAN furgone

W
WALK passeggiata/camminare
WARM caldo
WASH lavare
WATCH guardare
WATER acqua
WIFE moglie
WINDOW finestra
WINDY ventoso

Y
YELL gridare

FACCIAMO UNA CORSA!

Un gruppo di cuccioli sta correndo.
Conta a voce alta e dì quanti sono in tutto.

Divertiti a contare quante macchie nere ha Pongo
e scrivi il numero in Inglese nello spazio sotto l'immagine.

____

RIORDINA LA STORIA

Osserva le vignette e mettile in ordine da 1 a 6 ricordando che cosa accade prima e che cosa accade dopo. Scrivi i numeri nei cerchi.

ANDIAMO A CASA

Per tornare a casa loro, i dalmata devono fare molta strada. Prima attraversano il parco, poi un fiume, infine salgono su un furgone che li porta a casa. Vuoi aiutarli tu? Segui il tragitto trovando le parole dei luoghi del labirinto e scrivile nello spazio sotto l'immagine.

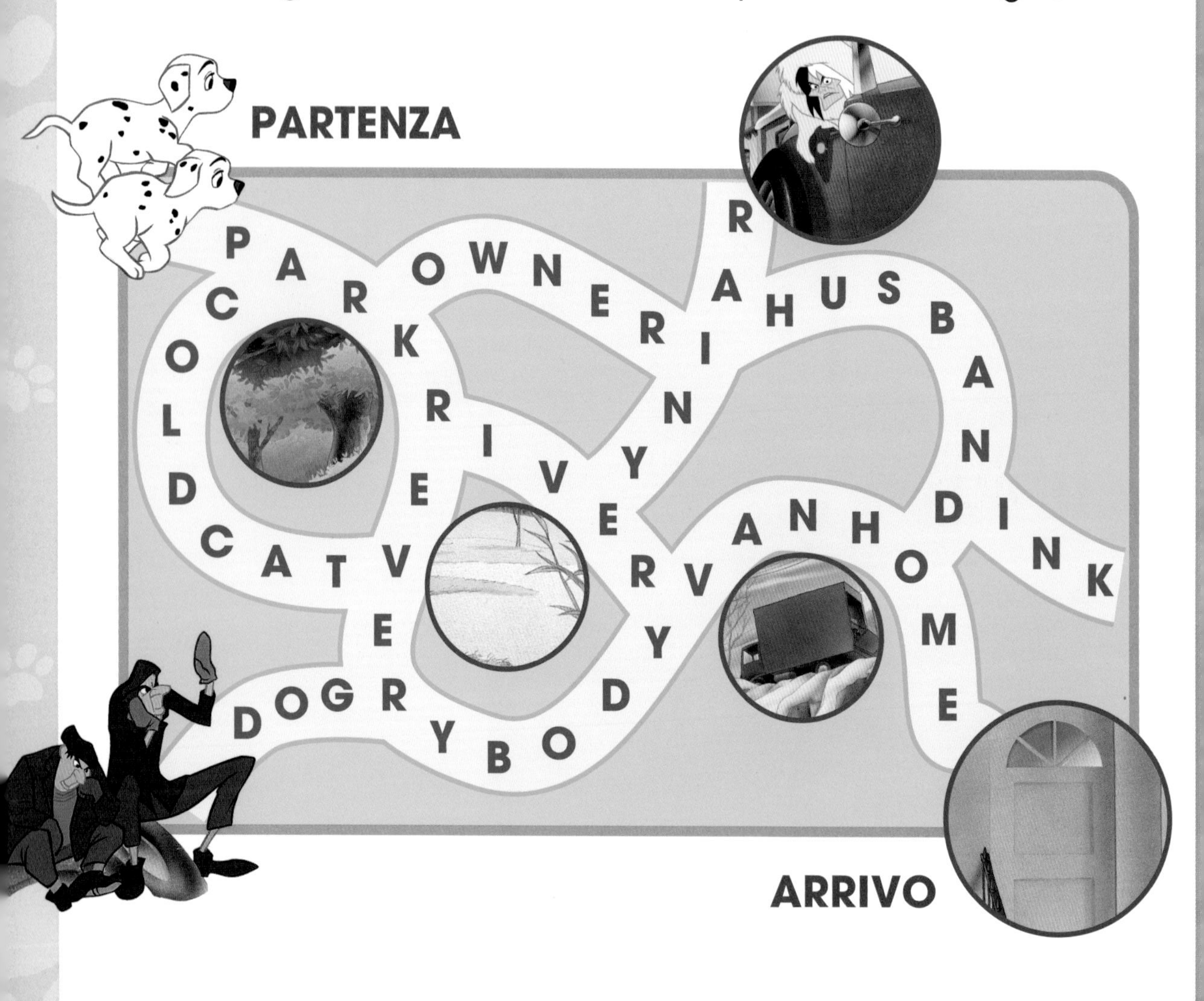

CHE COSA FANNO I DALMATA

Osserva le immagini: i dalmata compiono molte azioni. Abbina ogni immagine con la parola che indica l'azione corrispondente. Se non ricordi controlla il glossario.

run

play

eat

watch tv

roll

TROVA LE DIFFERENZE

Osserva le immagini A e B: ci sono 5 piccole differenze.
Quando le hai scoperte segnale con una crocetta
sull'immagine B.

A

B

RIMETTI A POSTO LE PAROLE!

Rimetti in ordine le lettere e ricostruisci
le parole in Inglese.

T H E R M O	_ _ _ _ _ _
O G D	_ _ _
F R H T A E	_ _ _ _ _ _
I F W E	_ _ _ _
H B U S N D A	_ _ _ _ _ _ _
O U S E H	_ _ _ _ _
P P P Y U	_ _ _ _ _
C T A	_ _ _

IL PERSONAGGIO MISTERIOSO

Colora gli spazi con i puntini utilizzando i diversi colori di ciascun puntino e scopri qual è il personaggio della storia. Alla fine scrivi il nome in Inglese sulla riga sotto l'immagine.

_ _ _ _ _ _ _

pagina 39

10

pagine 40-41

1

2

3

4
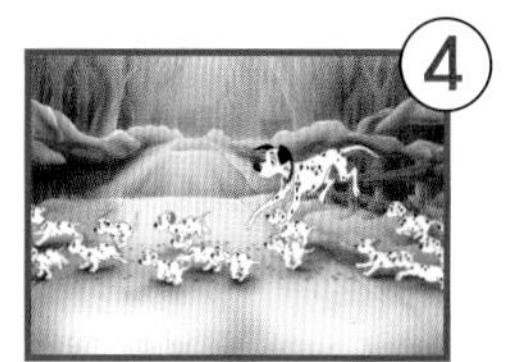

5

6

pagina 42

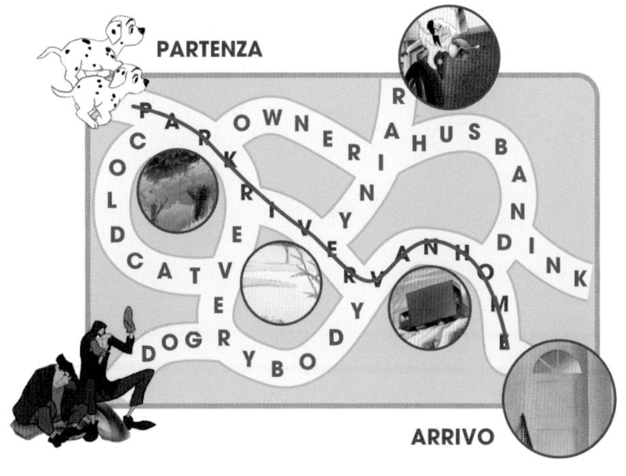

PARK RIVER

VAN HOME

pagina 43

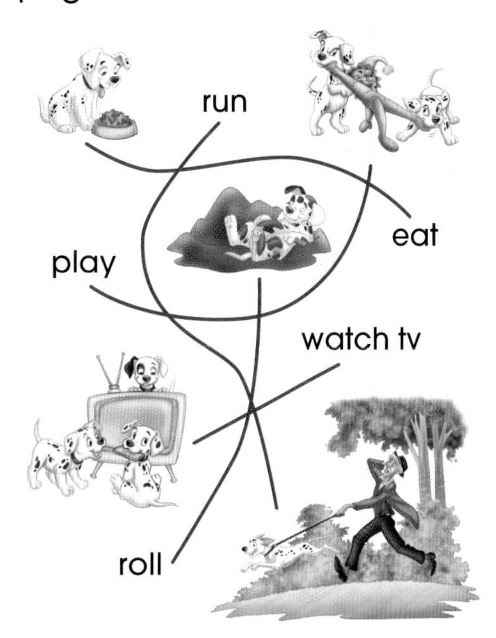

SOLUZIONI

pagina 44

pagina 45

THERMO	MOTHER
OGD	DOG
FRHTAE	FATHER
IFWE	WIFE
HBUSNDA	HUSBAND
OUSEH	HOUSE
PPPYU	PUPPY
CTA	CAT

pagina 46

CRUELLA